THRICE TO SHOW YE

THRICE TO SHOW YE

BY

J. K. ANNAND

WITH ILLUSTRATIONS BY DENNIS CARABINE

MACDONALD PUBLISHERS
Loanhead · Midlothian

ISBN 0 904265 29 3

Published by
Macdonald Publishers
Edgefield Road, Loanhead, Midlothian

Printed by
Macdonald Printers (Edinburgh) Limited
Edgefield Road, Loanhead, Midlothian

For
Penny Jane
and
Julie Ann

AUTHOR'S NOTE

Boys and girls, their parents and teachers, sometimes ask me how some of the words I use in my rhymes should be pronounced. My answer is: "Say them as you naturally do, or as they are said by Scots speakers in your part of the country." Take, for example, the word *wha* (English *who*). I pronounce it *whay,* but it can be said *whaw, whah, faw,* or *fah*. The sound *ou,* as in *doun* is pronounced like the *oo* in the English *moon*. *Ow* is always as in English *now*.

One other thing: You can change the names of people in my poems to fit in names of your friends, e.g., Jean for Jock, or Mary for Wullie, etc.

CONTENTS

ROGUEY POGUEY

Roguey poguey
Pickety peel
My sister is
A richt wee deil.

She nips my lugs
And rugs my hair,
Scatters my toys
Aa owre the fluir.

She lauchs and thinks
It is great fun
But then her age
Is only ONE.

COLLIE-BACKIE

Collie-backie, collie-beck,
Haud on ticht around my neck.

Collie-backie, collie-diddle,
Grup your legs about my middle.

Collie-backie, collie-duddie,
Ye're the horseman, I'm the cuddie.

Cry '''Gee hup!'' and aff we trot
Wi a clip and a clop and a rot-tot-tot.

Collie-backie, collie-buckie,
Wi sic a horse are ye no lucky?

SLAISTER

Mum cries me a slaister,
Says naethin could be waur
Nor mellin sand and water
And slaisterin in the glaur.

When I'm aa glaur and slaistert
And clarty as a tink
Mum maks a graith o soap suds
And plops me in the sink.

Syne when I'm washed and tidied
And clean as clean can be
My Mum gies me a cuddle
And maks me chips for tea.

BROUN BEARS

When Daddy taks us to the Zoo
We've lots o beasts to see,
The Elephant and Crocodile
The Lion and Chimpanzee.

But I like best when Mammie Bear
Sits up and speirs a bun
And Baby Bear rins here and there
Juist fou o ploys and fun.

I wish they'd let me tak him hame
When for my bed I'm ready,
But seein I'll no can hug a bear
I'll cuddle my wee Teddy.

POSTIE, POSTIE

Postie, Postie,
Hurry up and come,
Come wi a letter,
A letter frae my Mum.

Grannie's no sae weel,
Had to send for Mum.
When Grannie's feelin better
Mum will send a letter.

Sae Postie, Postie,
Hurry up and come,
Hurry wi that letter
The letter frae my Mum.

PUDDOCK-STUILS

Gif ye should dander up the burn
In by the Birkenshaw
Ye'll see some braw wee puddock-stuils
Standin in a raw.

Gif ye gang there in braid daylicht
There's naethin to be seen
But juist a wheen o puddock-stuils
A-growein on the green.

But in the morning early there's
A sicht to gar ye gowp:
A company o wee fowk
Are playin cuddy-lowp.

MINCE AND TATTIES

I dinna like hail tatties
Pit on my plate o mince
For when I tak my denner
I eat them baith at yince.

Sae mash and mix the tatties
Wi mince intil the mashin,
And sic a tasty denner
Will aye be voted "Smashin!"

CHEESE

"Dinna hash the cheese,"
My Daddy said to me.
I'm no that guid at cuttin
The cheese we hae for tea.

But when I'm big and workin
I'll no touch Daddy's cheese—
I'll buy some for mysel
And hash it as I please.

MY SHELTIE

Big Sandie has a motor bike
And Jock a pedal ane
Sae they can race alang the roads
And mak an unco din.

But I've a braw wee sheltie
That's big eneuch for me.
He let's me ride upon his back
For aa the warld to see.

I whustle til him in his park;
He greets me at the dyke.
But ye'll never get a cuddle frae
A rusty iron bike.

CUP O TEA

My Mither yaises tea-bags
To mask a pot o tea.
They dinna mak a slaister
When pourin out the bree.

But Grannie yaises tea-leafs when
She entertains a frien'.
She keeps them in a caddy wi
A likeness o the Queen.

And aye afore she pours your tea
She'll steer the tea-leafs up
—She canna spae your fortune wi
Nae tea-leafs in your cup.

COME SAILIN

Come intil my boat
I'll tak ye for a sail,
We'll mebbe catch a cod
A mackerel or a whale,
We'll mebbe catch a mermaid
And we will be enthralled
But I think it far mair likely
We'll only catch the cauld.

CRAW-BOGLE

A craw sits on the bogle's airm
Anither on his heid,
A dizzen mair are on the grund
Gobblin up the seed.

"Oh Fermer Broun is shuirly daft
To think he'll fleg us lot
Wi a besom shank, a Paddy hat
And a cast-aff duddie coat."

TRAIN DAFT

Like lots o ither steerin weans
Penny Jane's juist daft on trains.

Ilka mornin, rain or fine,
She gangs up to the railway line.

Watches frae the railway brig
To see the engines smert and trig.

Sees big expresses wheechin fast
And puir wee goods trains pechin past.

Waves to drivers passin by
And gets a tootle in reply.

Gae north or south, gae east or west
She thinks steam engines are the best.

WHAUP

I saw a whopper o a whaup
Doun at the shore yestreen,
It had the langest curly neb
That I had ever seen.

It delved sae deep intil the sand
Wi that lang curly neb,
Yirkin out the worms to eat
When followin the ebb.

But when it raise to gang awa
To rest upon the muir
It sang an eldritch gurlin sang
And och! my hert was sair.

THE TOUN BAND

Up Toorielum Street
Doun Skitterie Brae
The fowk get aa excited when
The Band comes out to play.

Wee Wullie plays the trumpet
Big Chairlie beats the drum
In time wi flute and cornet and
The big euphonium.

And we aye merch ahint them when
The Band comes out to play
Up Toorielum Street
And doun Skitterie Brae

MY BIKE

Tammie on his motor-bike
Faither in his car,
Skelpin throu the kintraside
Trevellin near and far.

But they can keep their motors,
For speed I've never cared,
And I can get as muckle fun
Juist pedallin roun the yaird.

EASY-OASY

Easy-oasy, warm and cosy
Sittin by the bleeze
Drinkin cups o cocoa
And eatin toastit cheese.

There's lichtnin in the lift outby
The thunder isna blate,
The rain is fairly lashin doun
The burn is up in spate.

By jings, we're unco lucky,
We're dry, wi lots to eat;
Easy-oasy, warm and cosy,
A coal fire's hard to beat.

DRUM MAJOR

Up at the Castle
Lots o people come
To hear the sodgers pipe
And beat upon the drum.

I'd like to be a piper,
I'd like to be a drummer,
But best o aa I'd like
To be the big heid-bummer.

He birls his siller stick,
He throws it in the air,
And when he gies the sign
The pipers play nae mair.

TAPSALTEERIE

Tapsalteerie upside doun
Stand aa the housis in the toun.

Lums are stickin in the grund
And in the air the drains are fund.

Upside doun alang the street
Fowk weir bonnets on their feet.

Tapsalteerie dounside up
The saucer sits upon the cup.

The water in the Tweed, I'm tauld
Has stertit rinnin **up** the cauld.

Tapsalteerie but and ben
The saumon cleek the fishermen.

Tapsalteerie everywhere
But fowk in Peebles dinna care.

HAVERS

Brittle brattle tittle tattle
Hielant kye are kittle cattle.

Swither dither aathegither
Ye'll be a man afore yer mither.

Ran dan parritch pan
Scart the pat as clean's ye can.

Caa cannie silly mannie
I'll report ye to the Jannie.

Ram stam scooter bang
Dance a jig or sing a sang
Or we'll no let ye jine our gang.

DOG SHOW

Look at aa thae Poodle dugs
Wi curly hair and floppy lugs
And Yorkies wi their ribboned hair
That snowk at ye wi snooty air.

Pekinese that yap-yap-yap,
Fit only for my leddy's lap,
Big Bulldugs and growlin Pugs
Wi slaverin tongues and ugly mugs.

Dugs in orra shapes and sizes
Competin for the cups and prizes;
There's nane amang them that I like
As weel's my ain wee tousie tyke.

IT ISNA FAIR

O it isna fair, it isna fair
That some o the birds that flee in the air
Should hae twa names, while the lave hae but ane,
I count it a shame and a dounricht sin.

There's Robin Reidbreist and Jennie Wren,
And Jaikie Daw and Choukie Hen,
While Wullie Wagtail and Tammie Norie
Wi Donal Deuk complete the story.

I ken what we'll dae, I ken what we'll dae.
We'll gie the ither birds twa names tae!

Then Stevie Stirlin and Sammy Speug
Will strut about like a first-prize dug.
Maggie Mavis and Mirrin Merle
Winna think twice about meetin an earl.

Hughie Houlet and Harry Heron
Will dance a jig on the Brig o Earn,
While Lottie Lintie and Lizzie Laverock
Will be upsides wi Peter Paitrick.

But Katie Coot and Kirsty Craw
Will be the proudest o them aa.

AULD GRANNIE DOCHERTY

Auld Grannie Docherty
Likes to dover owre,
Sweein in her rockin-chair
Aside a cheery fire.

Specs up on her fore-heid
Paper on her lap,
Snorin like a grampus
She taks her daily nap.

Kettle hotterin on the hob
Waiting for a wee
To mak Auld Grannie Docherty
A welcome cup o tea.

WHAUP IN THE NICHT

Wheepie whaupie
Wheep wheep!
Winna let a
Bodie sleep!

Wheep aa richt
In braid daylicht
But in the nicht
Ye gie's a fricht.

Sae dinna leave me
Fair forlorn
But save your wheeplin
For the morn!

LION AND UNICORN

The Lion and the Unicorn
Lowpt out the crest ae day,
Forgethert wi the ither beasts
To jine them at their play.

The Lion danced a jingo-ring
Wi Beaver and Racoon,
The Elephant played at cuddy-lowp
Wi Buffalo and Baboon.

The Unicorn ranted and he raved,
It nearly sent him gyte
When the Tiger wanted to yaise his horn
As a target for his quoit.

SAND FOR SALE

"Sand for Sale," it said
As we cam by the quarry.
Ye lade it on a truck
Or cairt it on a lorry.

Fancy peyin money
To get a pickle sand!
There's tons and tons for nocht
Lyin on our strand.

And when we've biggit a castle
Fit for ony queen.
The tide will ding it doun
And leave aa smooth and clean.

QUARRY STANES

The crusher in the quarry
Eats muckle stanes,
Chows them wi his airn teeth
And spews little anes.

The little stanes sparkle
As they skyte doun the chute.
When they're a dirty tarry black
The mixer cowps them out.

The steam-roller flattens
The black stanes in the grund.
I wadna be a quarry stane
For a hunder thousand pund!

COOT

Baldy coot, baldy coot
Kenspeckle wi your funny snoot
And heid bob-bobbin in and oot,
Ye dinna seem to gie a hoot
For fowk like us when we're aboot
But gie a honk or blaw a toot
As in amang the reeds ye scoot.

FEARDIE-GOWK

Feardie-gowk, feardie-gowk
Winna jine our ploys,
Bides about the hous aa day
And never maks a noise.

Feardie-gowk, feardie-gowk
Never gets in fechts,
Winna play at kick-the-can
Or bools or cuddy-wechts.

Feardie-gowk, feardie-gowk,
Feard to dreip a dyke,
Never get his breeks aa glaur
And canna go a bike.

Feardie-gowk, feardie-gowk
Is the teacher's pet;
Wi playin at the lassies' games
He'll be a jessie yet.

JOBS

Dannie's dargin doun the pit
Tam is in the mill
Sandy mends auld motor caurs
And Wullie hirds the hill.

It's dark and oorie doun the pit
It's stourie in the mill
The auld caurs stink wi ile and clart
It's lanesome on the hill.

But nae sic job will dae for me
I want to drive a train.
I'm savin up sae I can buy
Ane for my vera ain.

MAIR JOBS

Jockie's jined the sodgers
Says he'll do or dee.
Merchin kilty-cauld-bum
Wad never dae for me.

Norrie's in the navy
Sails the ocean wide.
Seein nocht but water
'S a life I couldna bide.

I will be a fermer
Like my Uncle Bob
Mindin kye and horses
—That's a smashin job.

LEERIE

"Leerie, Leerie, licht the lamp"
My grannie aften says,
For Leerie gaed round wi his pole
In Grannie's young days.

She'd settle at the winda
To see auld Leerie pass
And watch him wi his wee bit lowe
Rax up to licht the gas.

But nou the lamps are far owre heich,
His pole is far owre wee;
Forby, the lamps are cheynged frae gas
To electricity.

But Leerie's no redundant for
He has a new machine
That hysts him to the heichest lamp
To sort—or dicht it clean.

BUS QUEUE

Waitin for the bus
A wifie made a fuss.

Said it wasna fair
To keep us standin there.

Seemed to think she spoke
For aa the ither folk.

Ach, we didna care
Hou lang we waited there.

We played the game "I spy"
And time fair stottit by.

We wouldna get the blame
If the schule bus never came.

SHROVE TUESDAY

I tried my hand at pancakes
And entered for the race.
I doutit if I'd come in first
But hoped to win a place.

I made the batter in a bowl
And cooked it in a pan,
I practised tossin in the air
And catchin as I ran.

Shrove Tuesday cam, but sad to say
I didna win the race,
For when I tossed my pancake up
It landit on my face.

AULD FARRANT

My grannie's grannie
Was an auld-farrant sowl,
She liked to sup her tea
In a blue cheenie bowl,
She spreid her breid wi thoumie
(That's buttered wi her thoum)
When knifes were kept for Sundays
And tea taen ben the room.
She'd parritch for her brekfast,
At denner-time she'd kail,
Her tea was cheese and bannocks
And supper brose and yill.

My grannie says her grannie
Kent monie a tale and rhyme
That nou my grannie tells
To me at my bedtime.
I always like to veesit
My grannie at her hame
For if there werena grannies
Life wadna be the same.

HIPPOPOTAMUS

The Hippo-pippo-potamus
Likes sprauchlin in the glaur,
Maks sic a soss and slaister
As I wad never daur.

The Hippo-pippo-potamus
Wad drive my mither gyte
But Missis Hippopotamus
Wad never think to flyte.

But if I plowtered in the glaur
And cam hame black's the lum
I'd get an awfu tellin-aff
As weel's a skelpit bum.

JACK FROST (I)

Come gie a cheer
Jack Frost is here!

Lang may he bide
This wintertide.

Sune lochs will bear
And we'll be there

To slide and skate
Baith air and late.

Sae gie a cheer
Jack Frost is here!

JACK FROST (II)

Jack Frost
Get lost!

I feel the cauld
Nou that I'm auld.

Cauld maks me seik,
Banes grane and creak.

My neb turns blae
My fingers tae.

Get lost
Jack Frost!

RHINOCEROS

O it wad be a fashious thing
To wauken up the morn
And finnd I had upon my neb
A muckle hairy horn.

And yet the puir rhinoceros
That bides in Africay
Maun thole a horn upon his neb
On ilk and every day.

I sweir that I wad think it was
A sin and a disgrace
To hae a muckle hairy horn
In sic an awkward place.

SAUCY JEAN

Jean doesna like her haggis
Her parritch and her brose,
And when they're set afore her
She aye turns up her nose.

If she keeps bein saucy,
Kickin up a fuss,
She'll sune begin to look like
A wee Rhinoceros.

WATERHEN

Wi joukin heid and yeukie tail,
Waterhen, ye soom sae queer.
Your legs aye dangle in the air
When scutterin awa in fear.

Waterhen, ye're blate, I ken,
And bide amang the lochside reeds,
But I hae seen your muckle feet
Gae dancin owre the waterweeds.

It bates me that a bonnie bird
Can be sae feart o bairns and men
And scoot awa and hide hersel,
Waterhen, waterhen.

RAINBOW

I saw a rainbow in the lift
Rax owre the Firth o Forth
And mak a brawlie-coloured brig
For fairies airtin north.

A helicopter wad be fine
To flee me owre the Firth.
I'd land upon that bonnie brig
Syne slide richt doun to yirth.

But rainbows are sic kittle things
And suddent disappear,
That mebbe I'd be wycer to
Content mysel doun here.

HOLIDAY TIME

Honky-tonk cries the taxi,
Clickety-clank puffs the train,
Chug-chug-chug says the boatie,
It's holiday time again.

Soumin trunks and touel,
Mind the spade and bucket,
Here's the fishin taickle
—That's the luggage packit.

We're for the seaside,
We're for the sea,
Playin, fishin, doukin,
Frae brekfast time til tea.

WHITRICK AND HOULET

The Whitrick is a soople beast
When huntin for its prey,
Joukin here and jinkin there
Aa throu the lee-lang day.

The Houlet is a waukrife bird
That hoots and hunts aa nicht
And never wants to gang to bed
Until it's braid daylicht.

Like Whitrick and like Houlet
Are my wee Nell and Ned;
Our Nellie steers the lee-lang day,
Ned winna gang to bed.

HEID THE BAA

Heidie heidie
Keepie uppie.
Neeger the baa
Agane the waa.
Keep it gaain
Never faain,
Then ye'll learn
To heid it up
And score the goal
That won the Cup.

BRUCKLE BANES

When folk are curst wi bruckle banes
It isna vera nice
They're geylies shuir to brek a limb
Throu skytin on the ice.

Bennie wi the bruckle banes
Fell and brak a leg
And when he fand he couldna rise
It gied him sic a fleg.

They happt his leg in plaister
Afore they hurled him hame
And nou his leg is juist the place
For you to sign your name.

AIPPLE HERVIST

Aipples ripe for aa to see
Hingin on the aipple tree.

Gether aipples lest they faa
When blastie autumn breezes blaw.

Make a pudden, bake a pie,
Rax doun the jeelie-pan forby.

A tasty aipple-jeelie-piece
Gars the pangs o hunger cease.

Stew some aipples for a flan
Or fry wi bacon in a pan.

BUT! Mind ye lay aside a wheen
For doukin time on Halloween.

TATTIE HOWKER

Wha saw the tattie howker,
Wha saw him gang awa
Happit up in duffel jaiket
Rubber buits and gloves ana?

My, but he was lookin happy,
Cheerier loun ye never saw,
Extra holiday frae schule,
A workin man juist like his Paw.

Wha saw the tattie howker
Comin hame at five o'clock?
Glaurie buits and achin back
But jinglin siller in his poke.

Fifty pence to see the picturs,
Fifty pence to gie his Maw,
Fifty pence spent in the Tally's
—That's his siller clean awa.

WILD GEESE

Gaggles o geese come out the east
And flee awa to the wast;
Sune snaw will faa, the wind will blaw
And drifts will form in the blast.

Syne back they'll flee when in a wee
The blizzard has blawn its last,
When snaw has gane or turned to rain
They ken that the warst is past.

Like an arrow heid they'll brawlie speed
Back to our lochs and bays
To roost and rest, or feed wi zest
In fields that they eidently graze.

I WINNA LET ON

Gif ye kip the schule
And come wi me
I winna let on.
Gif ye douk in the burn
And sclim the tree
I winna let on.
We'll herrie bees-bykes
And feast on neeps,
I winna let on.
For ye and me
Are billies for keeps,
Your faither may speir
Your mither may fleetch
But I winna let on,
I winna let on.

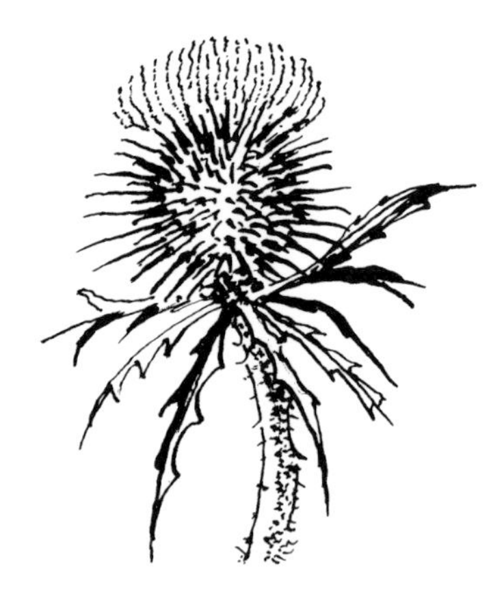

THE THRISSLE

The thrissle is auld Scotland's flouer,
The emblem o our land.
On rocky shore, in fertile field
It proudly taks its stand.

A braw reid toorie crouns its heid.
The spears on ilka leaf
Mak siccar that a rypin hand
Will fairly come to grief.

Throu sun and shouer, throu wind and rain
'Twill naither jouk nor jee
But dauntonly it hens the warld:
"O wha daur meddle wi me?"

A PLISKIE

As I gaed doun the loanin
When it darkened in the gloamin
I got an awfu shoggle
When I saw an oorie bogle
That was flichterin and wavin
Till it gey near sent me ravin.
It pit me in a pelter
Sae I turned and ran for shelter
But the bogle stertit yellin
And I didna need a tellin
That the vyce belanged our Willie
And it made me feel sae silly
To be pit in sic a dither
By my pliskie-playin brither.

ON HOGMANAY

Hou monie days are in a year?
Three hunder and saxtyfive.
I've counted ilka ane o them
As shuir as I'm alive.

Ye'll see a ferlie at the Cross
That ye micht think is queer
—A man that has as monie nebs
As days are in the year.

Nou see if ye can tell me
And tell me true the day.
Hou monie noses on his face
Does that puir mannie hae?

Answer: He has one nose. There are 365 days in *a* year, but this is Hogmanay, and there is only one day left in *the* year, i.e. this year.

GROUSE WARNING

"Gae back, gae back, gae back!"
Was what the muircock spak.
"There's bog-holes on the muir,
Tak tent ye dinna lair."

The sun shines on the muir
Braw heather-bells bloom there
Ripe blaeberries are sweet,
I'll gether lots to eat.

"Look ye til the wast
The storm is getherin fast
The lift will sune be black.
Gae back, gae back, gae back!"

THE GOWK

I met a gowk frae Penicuik
Wha thocht he was a bird;
The wey he flaffed and cried "Cuckoo"
He lookit fair absurd.

Whit wey he thinks he is a bird
I haena got a clue
But tho he's no a feathered gowk
There's nae dout he's cuckoo.

Note: Penicuik means the hill of the
gowk or cuckoo. Gowk also means a fool.

STREET TALK

There was a rammie in the street,
A stishie and stramash.
The crabbit wifie up the stair
Pit up her winda sash.

"Nou what's adae?" the wifie cried,
"Juist tell me what's adae."
A day is twinty-fower hours, missis,
Nou gie us peace to play.

"Juist tell me what's ado," she cried,
"And nane o yer gab," cried she.
D'ye no ken a doo's a pigeon, missis?
Nou haud yer wheesht a wee.

"I want to ken what's up," she cried,
"And nae mair o yer cheek, ye loun."
It's only yer winda that's up, missis.
For guidsake pit it doun.